U0054030
守護我的4騎士
5
處女座的香水
與山羊座的面具
作者
陳四月
繪畫
魂魂
SOUL

目錄 CONTENTS

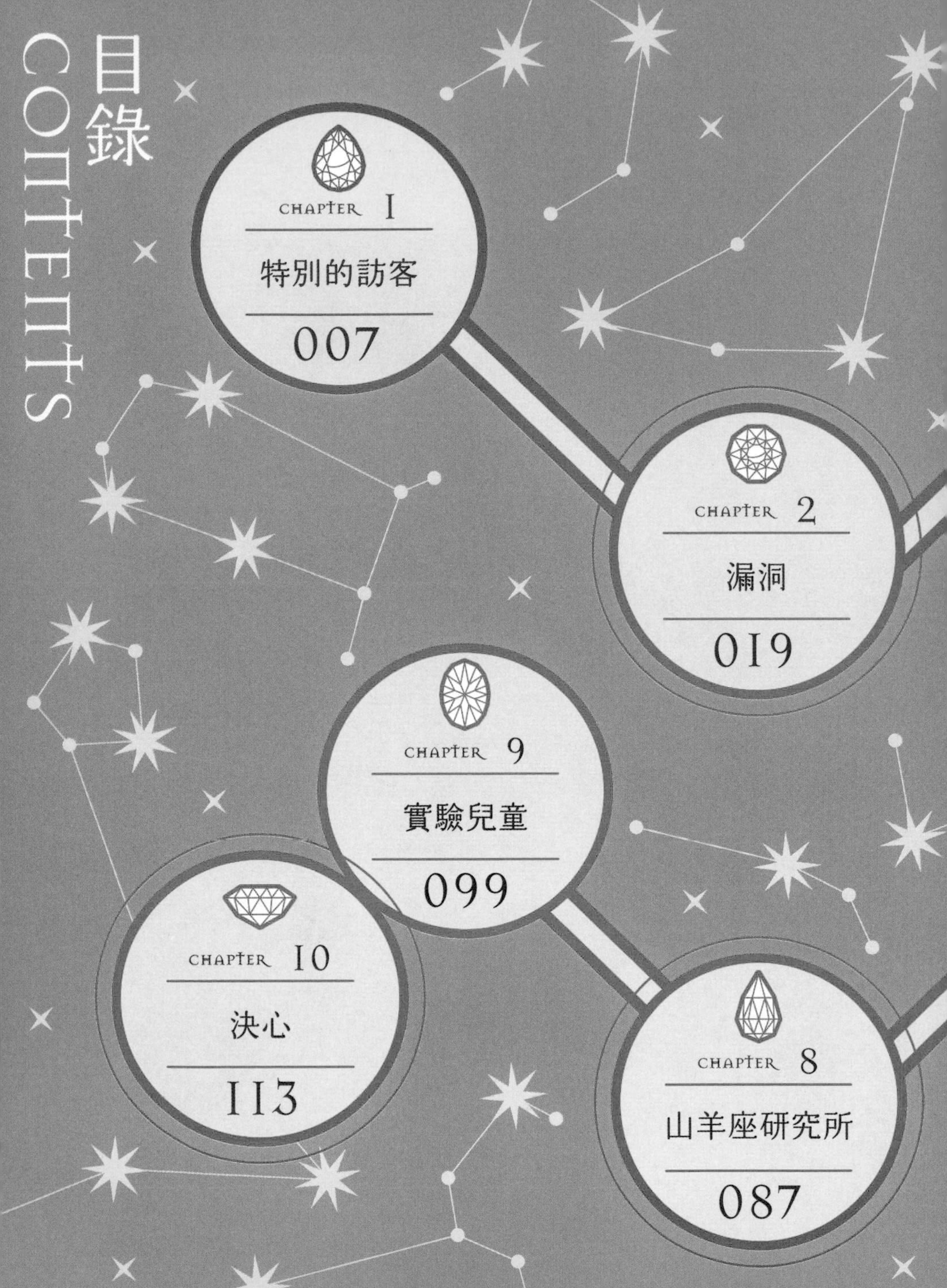

登場人物
CHARACTER

潘娜恩 16歲

外表冰冷、沈默寡言。自小受到「詛咒」：被她雙手觸摸過的人都會遭遇不幸、惡運纏身。為免害人，她長期戴著黑色手套隔絕與他人接觸。

凌東 16歲

木無表情、口不對心的貼身保鏢。出生在戰亂地區的孤兒，從小接受訓練及培養成為僱傭兵，精通多國語言及槍械，對命令絕對服從。

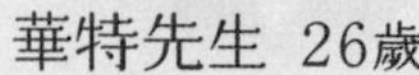

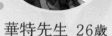

華特先生 26歲

城中最大美術館「星河美術館」的館長，在眾人眼中是個偉大無私的慈善家；但他亦是穿梭於世界各地犯案的神秘怪盜——蒙面男爵。

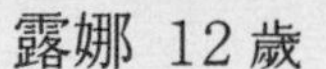

露娜 12歲

蒙面男爵所收養的孖生姊妹中的姐姐。冷若冰霜、沈默寡言，酷愛甜食，智力和體能遠超同齡的人。

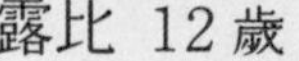

露比 12歲

露娜的孖生妹妹，活潑開朗，十分愛說話。擁有和姐姐相同的智力和體能，二人被安排和西門學同一班級，跟他有著密切關係。

李彩英 16歲

娜恩的同班同學，是「奧林匹克私立中學」學生會會長。好勝倔強的彩英一直對娜恩心生怨恨。

況佑南 16歲

性格開朗率直，出生於武術世家；是個運動神經發達，極具正義感的陽光男孩。只要下定決心，便會奮力向前，不輕易放棄。

任北辰 26歲

擁有專業醫生資格，擅長烹飪和打理家頭細務，細心且樂於照顧別人，是個可靠的大哥哥。

西門學 12歲

害羞而且認生的電腦奇才，擁有製作機械人的技術和知識。喜歡獨處，不擅長與人交際，是個性格內向的小男孩。

阿爾法 12歲

「山羊座的面具」的持有人，小時候和阿學、露娜和露比一起，被關在實驗室進行神秘實驗。

今期聖物

處女座的香水

嗅到香水獨特氣味的人，會對持有人言聽計從。

山羊座的面具

釋放大腦潛能，培育高智能的人。

上回提要

芙蘿拉盜賊團把潘孃戀捉走，交給覬覦千金災厄力量的黑幫頭子，騎士們及時救出！幸好最後芙蘿拉盜賊團臨陣對勒斯、倒戈相向。眾人回到闊別多時的校園生活……

CHAPTER I

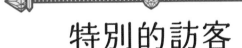

特別的訪客

黑色長髮的少女赤腳走在一片荒漠上，她抬頭凝望天空，天空不再明亮祥和，取而代之的是無盡的昏暗和絕望。

蝗蟲成群結隊飛舞，數量之多足以遮天蔽日，掠過時摧毀生命；士兵舉起長槍圓盾嘗試對抗，但蝗蟲的數目似是永無止境，士兵們只能無奈被掩沒在蝗禍之中。

人類面對自然的災害是多麼軟弱無力，他們的武器在蝗蟲面前顯得微不足道，他們的戰術在這場戰爭中顯得一無是處。

「咳咳……這裡是什麼地方？你……到底是誰？」潘娜恩以衣袖掩住口鼻，她想行近少女卻感覺步伐沉重，寸步難行。

娜恩曾夢見眼前的少女，和少女有關的夢境都和災難扯上關係，像歷史不斷重演。

「這是過去，我所帶來的災禍……」少女看到屍橫遍野也不痛不癢。

「我不明白……為什麼你要出現在我的夢境中？」娜恩能感覺到自己和少女有著某種密切的關係，因為她們都有一個共通點。

「因為我們是一樣的。」會帶來不幸的——災厄力量。

「不！」娜恩再次被惡夢驚醒。

在收集聖物的旅程開始後，娜恩發惡夢的次數便愈來愈多，而且感覺比剛開始的時候更加真實。

「不一樣……我和她是不一樣的。」娜恩畏懼為他人帶來不幸，但少女不是，她能毫不在乎地看著生命被災厄吞噬。

「開門！西門學快開門呀！」尖叫聲從古宅外傳來，娜恩好奇的走向窗邊。

「是常常跟著蒙面男爵的那對姐妹？」自從娜恩入住古宅後，古宅從未有過訪客，這裡是她和四騎士的秘密基地。

上一次，從黑星大酒店救出娜恩的除了四騎

士外，還得蒙面男爵一行人的協助，娜恩因禍得福獲得「白羊座的懷錶」，十二聖物中有三分之一已成功回收。

飯廳內，露娜和露比正大快朵頤，四騎士坐在她們對面不敢放鬆警惕，因為娜恩的藏身地點曝光了，這是一件十分危險的事。

「露娜，這裡的飯菜比我們那邊好太多了！」妹妹露比大口大口地吃，一點也不客氣。

「咳咳……對，蕾安娜姐姐煮的東西全都很難吃……」姐姐露娜吃得太快被嗆到了。

「哈哈……慢慢吃吧，不夠的話我可以再煮。」任北辰親切友善，對方畢竟只是十二歲的小女孩。

「你們是怎知道我們在這地方的？」但淩東態度強硬得多，任何有機會令娜恩置身險境的人，他也不會手下留情。

「不會是阿學你告訴她們的吧？」況佑南矛頭直指西門學，他一直誤會阿學對這對姐妹有意思。

「冤枉呀！她們是蒙面男爵的手下，是想奪

取十二聖物的對手，我又怎會向她們透露小姐的藏身地點呢？」和這對姐妹扯上關係，總會令阿學莫名激動。

「阿學真過分……枉我們一心一意來幫助你。」露比裝作楚楚可憐。

「需要我們時當我們朋友，利用完後便當我們對手，沒本心……」露娜也哭喪著臉説。

「怎麼了，是阿學弄哭她們了嗎？」梳洗過後，娜恩來到飯廳湊熱鬧。

「這次是阿學不對，小姐最討厭沒有紳士風度的男生。」看見娜恩來到，淩東馬上改變口風。

「傷害少女的心實在有違習武之人的操守，阿學你要改過了。」佑南接著説。

「吓？是我錯嗎？」阿學慘被兩個大哥哥擺

了一道。

「剛剛你們說是來幫忙，此話何解呢？」娜恩和蒙面男爵有盟約在先，北辰相信這對姐妹此行並無惡意。

「你們已有一週沒有回學校了，所以不知道校內的氣氛變得十分怪異。」露娜說。

愈不尋常的事件，愈有可能和十二聖物有關，聖物的力量非常理可以解釋。

「我們把情況告訴了男爵，但他有急事要出遠門，便說這事交由你們的大小姐調查，讓我們從旁協助。」露比不喜歡娜恩，因為蒙面男爵對娜恩的事特別上心。

「校內發生了什麼怪事嗎？」自從黑星大酒店回來後，娜恩已休息了三天。

「你自己回校看看就知道了。」露娜說。

「從旁協助……是指在學校範圍內吧？但你們為什麼帶著行李來到我們家呢？」北辰看著桌子下大大的行李箱，知道這對姐妹另有所圖。

「因為蕾安娜姐姐跟著男爵出門了……家裡沒有人煮飯。」露娜垂下頭一臉失落的說。

「這實在太淒涼了……」娜恩動搖了。

「就算蕾安娜姐姐在，飯菜也超難吃的！」露比叫苦連天。

「我明白了！這段時間你們就寄住下來吧！」娜恩很容易心軟，特別是面對可愛的孩子。

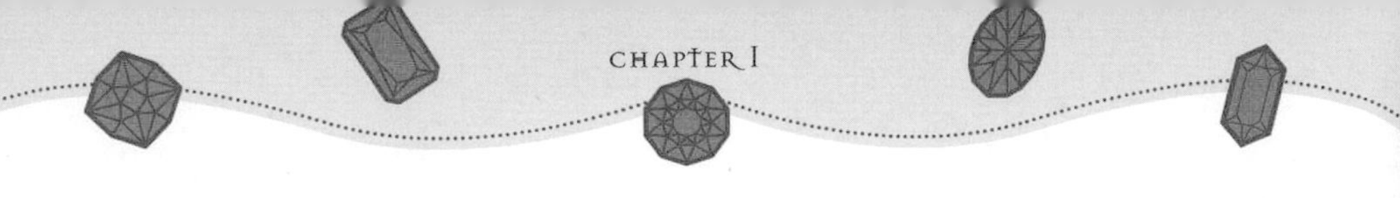

「真的嗎？」四騎士異口同聲說。

「反正這裡還有空的客房呀，而且人多一點不是更熱鬧嗎？」娜恩按捺住想撫摸姐妹頭顱的衝動。

「既然你盛意拳拳，我們也不好意思拒絕，

請問我們的房間在哪裡呢？」露比奸計得逞，向西門學比出鬼臉。

「兩位請跟我來。」家務助理機械人阿爾法提起客人的行李。

「你是阿爾法吧？現在的阿爾法會不會比以前的聰明呢？」露比露娜和阿學有很深的淵源，三人早已認識，只是阿學已不記得了。

「小姐，你真的讓她們留下來嗎？她們有可能是蒙面男爵派來偷取我們辛辛苦苦收集得來的聖物呀！」阿學總覺得她們有種親切感，潛意識卻拒絕和她們接近。

「蒙面男爵三番四次幫助我們，是因為我們的存在對集齊十二件聖物有利，所以他暫時不會對我們動手，最起碼在聖物全部集齊之前……」

娜恩對蒙面男爵抱有戒心，但她必須承認自己欠了蒙面男爵的恩情。

「既然小姐已下定決心，就照小姐的意思去辦吧。比起那對姐妹，我更在意學校到底發生了什麼事？」北辰早已確認過校內沒有十二聖物，但這不等於聖物的持有者不會找上他們。

露娜和露比能找到娜恩的住所，表示其他人也有可能已發現了他們的足跡，同樣希望集齊十二聖物的人，自然會視其他持有者為目標。

CHAPTER 2

漏洞

晚飯過後，淩東和佑南在花園比武對練，這是淩東主動提出的要求，在黑星大酒店被體型龐大的盧卡的力量輾壓後，他希望提升自己的體格和搏擊能力，特別是在沒有手槍的情況下。

我真的有能力守護小姐嗎？這問題一直纏繞凌東。聖物的力量不可思議，來自地下社會的敵人實力深不可測，潘老爺選擇他來守護娜恩真的是明智之舉嗎？

「有機可乘！」凌東一不留神便被佑南逮個正著，佑南以過肩摔把他狠狠放倒。

「再來……」心有不甘的凌東還想繼續。

「暫停一會兒吧，你的動作愈來愈大，破綻愈來愈明顯。」佑南把凌東壓制在地上，他看出凌東心急浮躁。

「為什麼你不使用會冒火的招式？是看不起我嗎？」佑南走出了心理陰影，凌東卻快被壓力打跨。

「馭火之武是很難操控的，而且相當消耗體

力，實在難以想像老爸怎能長時間保持這種狀態。」佑南向前邁進了一大步，實力和教授他武術的父親有所接近。

「但起碼你還能夠變得更強……」淩東面色一沉。

「你又鑽牛角尖了，我知道有幾個穴位對像你這麼固執的人特別有幫助。」佑南以拇指用力搓揉淩東頭部兩側的太陽穴。

「你不害怕嗎？」淩東沒有掙扎，反而平和地説出心裡的困擾。

「害怕什麼？」這一席話是佑南始料不及的。

「殺害璉娜小姐和老爺的人，如果真的是考古團裡的成員，那麼我的養父和你的父親也有嫌疑。」淩東不敢想像。

「老爸不是這種人……況且老爺對我家恩重如山，我絕不相信他做出恩將仇報的事。」佑南生性善良，從不猜疑身邊人。

「我也不相信隊長會背信棄義殺害老爺，但不相信不等於無可能。」淩東在戰地見盡人情冷暖，他知道利益當前有多少人會放棄仁義。

「我一直有個疑問，老爺要為什麼委託我們……」淩東的身手是養父一手培訓，佑南的武術則師承父親，他們並不比上一代強悍。

「我的老爸在老爺出事故前失蹤了，所以才委託我。」佑南到現在也未知父親下落。

「起初我也是這樣想的，但看到大合照和聽過璉娜小姐的事後，我不禁懷疑……老爺不是聯絡不到他們，而是不能委託他們。」淩東同樣聯絡不到養父。

「不會的……他們可能是被尋找十二聖物的人盯上，才隱藏自己的行蹤。」佑南凡事也向積極的方面看。

「這也是有可能的，我最害怕的是他們抵受不了十二聖物的誘惑，這樣我還有面目留在小姐身邊嗎？」淩東會先評估最壞的狀況。

「而且辰哥……說過一定會手刃仇人。」佑南已把北辰當作大哥看待，他無法想像自己和他對立。

「有機可乘！」這次輪到分心的佑南反被淩東制服，姿勢對調，騎坐在佑南之上。

「你這狡猾的傢伙，說這麼多原來是在找機會偷襲我！」佑南生氣的說。

「兵不厭詐，我知道有幾個穴道能令笨蛋變聰明，要試一下嗎？」主導權現在落到淩東身上，纏鬥中的兩人沒有發現旁人的眼光。

「對不起……我在想難得有客人，不如一起玩桌上遊戲，我還是不打擾你們了！」娜恩捧著露娜帶來的桌上遊戲「大富翁」，羞紅了臉落荒而逃。

「不是你想的那樣！小姐你又誤會了！」淩東和佑南異口同聲說。

考古團隊到底是何時開始存在，他們之間又發生了什麼事，還尚待娜恩和四騎士去發掘；唯一可以肯定的，是他們都曾接觸十二聖物，是比娜恩等人更接近真相的人。

西門學的房間內，阿學專注地在電腦前面敲打鍵盤，他為了確保娜恩的安全在古宅外圍也佈下嚴密的監控設施，就連一隻小鳥飛過他也能夠即時發現；但露娜和露比卻能在他毫不知情下走到古宅大門前，令他十分受挫。

「不可能的……無論我檢查多少次也沒有發現任何漏洞，她們到底是怎進來的？」阿學還在埋頭苦幹。

「阿學，你還要對著電腦多久？」露娜不耐煩的問。

「不要管這些瑣碎事啦，快過來和我們玩吧！」露比接著說。

「這關乎到小姐的人身安全！怎能說是瑣碎事，在找出漏洞前我是不會離開電腦的！」阿學老羞成怒，他所設計的電腦保安系統從未有人能突破。

西門學的父母在研究所大火中喪命後，他便受娜恩的父親助養；而在這次意外後，阿學失去了大部分兒時記憶，只餘下零碎的片段。

意外造成的創傷後遺，加上阿學性格孤僻寡言，導致他一度被以為患上了自閉症。

但娜恩的父親看出他是沉迷在數字世界的天才，他不只能破解極度複雜的方程式，還比很多博士學者思考得更快。於是娜恩的父親為阿學建立了學習基金，提供他的一切生活需要，培養出被譽為百年難得一遇的電腦奇才。

「阿學，難得有朋友來探訪，不如停下手上的工作放鬆一下吧。」娜恩也支持露娜和露比，三人正在阿學身後圍坐，玩著「大富翁」。

身為獨生女，娜恩一直很憧憬這樣的情景，能和弟弟妹妹在睡前玩起小遊戲，是她夢寐以求的事。

「既然是小姐的請求，我就勉為其難和你們玩一局吧。」阿學不忍要娜恩失望。

「我去為幾位準備點心零食。」人工智能阿爾法知情識趣。

「作為獎品，若你贏了我們的話，我就告訴你保安系統有什麼漏洞。」露娜開出吸引的條件。

「是你自己說的，馬上開始吧！」阿學對這遊戲充滿信心，遊戲涉及計算，何時買入土地，何時興建房屋，這些都是他擅長的算術。

GO

CHAPTER 3

重返校園

遊戲的結果出人意表，信心十足的阿學竟慘敗收場。

「再來！」阿學當然不會輕易認輸。

「無任歡迎！」這正合露比的心意。

阿學的想法像被看穿一樣，他的行動總是比兩姐妹捷足先登，由於遊戲中玩家能自由交易，這令阿學面對以一敵二的劣勢。

「繼續！」阿學屢敗屢戰。

最終直至凌晨時分，阿學還是未能獲得勝果。

「大獲全勝，阿學你真的很笨呢！」娜比很滿意這個戰果。

「為什麼贏不了的……」阿學心灰意冷。

由始至終，阿學一點勝算也沒有，因為這盒大富翁是露娜和露比特別準備的。

「因為我們一直在作弊啊。」娜露只要動一動手指，骰子就會轉動去她想要的一面。

「啊！你們換走了原來的骰子！」可惜阿學發現得太遲了。

「你連我們何時換出動了手腳的骰子，何時換回普通的骰子也沒有發現嗎？」只要輪到阿學或娜恩，露娜就會替換正常的骰子，這樣他們便不

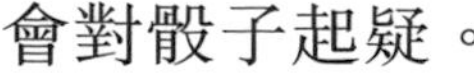

會對骰子起疑。

「但大小姐的運氣真的令我大開眼界，竟然有一半時間被困在監獄中，你這樣玩遊戲不會很生氣嗎？」露比見識到不幸的力量有多強。

「能這樣熱熱鬧鬧地玩，我已經很滿足。」厄運纏身的娜恩，一直以來也是形單影隻，直至四騎士來到她的身邊。

「幾位，時候不早了，請回各自的房間就寢吧。」阿爾法，是長伴阿學的機械人。

「吓？不如我們留在這裡一起睡吧？像去旅行宿營！」露比依依不捨。

「阿學的床很寬闊，足夠四個人擠在一起。」露娜說。

「但是……若和我太接近，很可能會沾上厄運的。」娜恩有所忌諱，自她長記性以來也是獨自入睡。

「阿爾法，把我特製的睡袋拿出來。」阿學早有準備，他曾幻想過和大家一起旅行，擠在帳篷內露宿，就像一家人遠足露營。

「啊！像太空衣那麼厚重呢。」娜恩被嚴密包裹的樣子引得露比笑個不停。

「這樣就無問題了，阿爾法，關燈。」阿學故意裝作冷漠，其實他比娜恩更寂寞。

現在阿學不只有阿爾法，還有哥哥、姐姐和妹妹，他不用再羨慕生活在正常家庭的人，因為他已找到自己的容身之所。

娜恩和四騎士重返奧林匹克私立中學，根據露娜和露比所說，校園內瀰漫著古怪的氣氛，但校內還是和往常一樣平靜，學生們井然有序。

「有什麼和往常不一樣嗎？」凌東左顧右盼，沒有察覺到一絲敵意。

「會不會是露娜和露比太想找阿學，才編個謊言嚇嚇我們呢？」佑南也找不出任何異常的地方。

「我總覺得她們和阿學有很深的關係；無論如何，我們要小心行事，提防有意接近小姐的人吧。」經過黑星大酒店的事件後，娜恩的名字在地下社會變得無人不曉，這才是令北辰最擔心的事。

能在勢力龐大的黑手黨大本營逃脫，更令地下社會中三大盜賊之一的「芙蘿拉盜賊團」銷聲匿跡，這些都成為了地下社會瘋傳不止的熱話。娜恩和四騎士的樣子亦已曝光，這不只令娜恩受到更多危險人物關注，更間接證實了十二聖物是真實存在，而不是傳說。

「昨晚睡得真好呢！」露比心情大好。

「不如我們四人今晚再一起睡吧？」露娜也精神飽滿。

「不要……你們的鼻鼾聲太吵耳了，我一整晚也沒有入睡。」可憐徹夜未眠的阿學不停打呵欠。

「我也覺得昨晚很愉快，就像一起生活的普通家庭。」快樂的時光令娜恩得以放鬆心情，忘記沉重的現實。

集齊十二聖物，找出父母遇害的真相，還要解除身上的厄運，每一個任務都難度極高，然而娜恩掌握的線索實在太少。

「我會在保健室待命，小姐就由阿東和佑南貼身保護，至於阿學……」北辰始終不見任何異常的事。

「我需要補充睡眠……放心吧，以防萬一，我帶了阿爾法來學校，若校內出現可疑人物，它會第一時間通知我們。」回到班房後，阿學便在桌上睡覺，就連他也懷疑，露娜和露比只是鬧著玩來吸引他們注意。

危機總是無聲無息地接近，但這一次娜恩和四騎士要面對的對手，有著獨特的香味。

「又是這個討厭的氣味。」露娜望向班房門外，那個散發著獨特香味的人剛好從走廊經過，那人的手上拿著一件露娜和露比十分熟悉的物品

「阿學，快醒來！大事不妙了！」露比終於想起她為何這麼討厭這陣氣味。

「我很累呀……拜託讓我小睡一會吧。」阿學蒙頭大睡，不消一刻已進入夢鄉。

嗅覺是最能夠喚醒記憶的媒介，而氣味就像回憶的鑰匙，能引領我們打開那氣味專屬的房間。

露娜和露比看著門外，十多個學生跟隨著散

發獨特香味的那人走過，步伐整齊一致，像是她的士兵一樣。但沒有人覺得這情景古怪，班上的同學照常聽老師講課，老師也沒有為意他們的舉動。

「叩叩！」保健室門被敲響。

「請進。」任北辰展現和藹可親的笑容，對眼前的學生未有防備。

「彩英，你有什麼不適嗎？」北辰眼前的是娜恩的同班同學兼學生會主席——李彩英。

「老師，我的身體沒有不舒服的地方。」彩英坐在北辰面前，微笑著撥弄她的秀髮。

「那麼你為什麼來保健室呢？」北辰不明所以，彩英散發著濃濃的香水味。

「因為有一個人的存在令我很不舒服，她的身

邊滿是包圍著對她阿諛奉承的守護者，所以我決定把他們一個一個奪去。」彩英得到了不可思議的力量。

「我不明白……你到底在胡說什麼？」北辰感覺頭腦一陣暈眩。

「老師，你願意守護我嗎？像守護你們的千金小姐一樣，永遠對我忠心。」那些跟在彩英身後的學生逐一走進保健室，抓住北辰的手腳把他制服。

「是聖物……你……為什麼……」北辰還未有機會把話說完，意識已變得模糊不清，最後映入他眼簾的是彩英手上的香水瓶。

女神懷抱的香水，是十二聖物中代表處女座的聖物。

CHAPTER 4

回憶中的香水味

雪白的房間內，兩女一男合共三個小孩子正圍坐在一起玩大富翁。

「我不玩了……每次也是我輸的。」小男孩扁起嘴巴，他是小時候的阿學。

「你真的很笨啊，為什麼爸爸媽媽都覺得你是最聰明的呢？」其中一個比較開朗的小女孩，是小時候的露比。

「你只有一個遊戲玩得好。」另一個小女孩牽起露比的手，站起來圍繞住阿學跑了幾個圈，她是小時候的露娜。

「誰是露娜？誰是露比？」兩個女孩並排在一起說。

「左邊是露娜，右邊是露比。」阿學短短看了幾秒已能分辨出來。

「答對了，再來一次！」露比看似很快樂。

但在這實驗研究所裡的人，全部都不快樂。

「零號快壞掉了，換三號繼續吧。」阿學的父親打斷了孩子們的歡樂時光。

「阿學，過來吧。」阿學的母親一臉嚴肅。

「不要帶走阿學！不要再傷害阿學！」露娜和露比挺身而出，想要保護阿學。

「你們乖乖聽話，實驗很快便會結束。」母親眼見孩子們不受控制，便拿出香水輕輕噴了幾下。

「知道，媽媽……」孩子們沒有再抵抗，阿學主動牽起母親的手，離開了露娜和露比，走進另一間房間。

牆壁上寫上密密麻麻的方程式，房間裡還有另一個和阿學年紀相若的白髮男孩，他倒臥在地上身體微微抽搐。

「阿學，解答這條方程式吧。」阿學想去扶起倒臥的孩子，但在母親的命令下他的身體不聽使喚。

「我還可以繼續，放過阿學吧……」然而倒臥的孩子嘗試靠自己重新站起，在這麼惡劣的狀態下他仍想保護阿學。

「不，三號比你優秀，他擁有更大的潛能。」

但阿學的父親拒絕了他的請求。

他們沒有被當成孩子看待，只要想發起對抗，就會傳來香水味，令他們唯命是從。

直至某一天，濃烈刺鼻的燒焦味蓋過一切，他們才獲得自由。

「露娜、露比，還有一個孩子……他到底是誰？」阿學在夢中醒來，他終於想起自己和這對孖生姊妹早已認識。

阿學熟悉的香水味在校內出現，是因為學生會會長李彩英，正利用聖物的力量令他人成為俘虜。嗅到「處女座的香水」的人無法抗拒香水持有人的命令，任北辰已不慎成為彩英的俘虜，更可怕的是守護千金的四騎士，全是彩英的目標。

小息時間，班房內的娜恩等人還未發現危機將至。

「不好意思……你們可以幫我把體育館倉庫內的器材搬到操場嗎？」學生會書記林維婭問佑南和淩東。

「你們去吧。」娜恩知道兩人有所顧慮。

「你一個去吧，我不能留下小姐一個。」但淩東執意留下，他不在意娜恩以外的人和事。

「雖然不知道露娜和露比指的怪異是什麼，但校內還是和平常一樣，可能是她們杞人憂天吧。」畢竟上學時間學校人數眾多，就算是地下社會的殺手間諜也不好下手。

「我們還是小心點比較好，戰場上看似愈安全的地方，往往是敵方偷襲的目標。」淩東處處提防，但他沒有留意到陣陣獨特香水味。

然而，娜恩身邊的防禦正被逐一瓦解。

「彩英？為什麼你在倉庫裡呢？」佑南還未知道自己大禍臨頭。

「我一直在等你啊，佑南。」彩英露出陰險的笑容，佑南身後的門已關上。

「吓？等我？」受香水影響的林維娅奉命把佑南引來這陷阱。

「況佑南，你願意放棄潘娜恩，成為我的守護騎士嗎？」彩英說。

「你到底在胡說什麼呀？」佑南雖然不喜歡向女性動粗，但彩英這番話令他不耐煩了。

「休得無禮，立即向彩英小姐道歉。」任北辰突然冒出，他一直躲在倉庫暗處。

「辰哥？怎麼你也會在這裡出現的？」佑南一臉錯愕，就算北辰是代替任璉娜的人，也不會背叛他宣誓效忠的娜恩。

「那人說的話果然是真的，像你們這些意志力堅定的人，單單嗅到我身上的香水味是不足夠的。」彩英拿出「處女座的香水」在佑南面前搖晃。

「十二聖物？」佑南知道事有蹺蹊，伸手搶奪香水瓶。

「對啊，潘娜恩就是為了集齊十二件聖物而利用你們吧？」彩英受北辰保護，氣定神閒的走向佑南。

「但我不像她那麼過分，不需要你們奔波勞碌，你們只要守在我身邊就足夠了。」彩英一直以來生活在娜恩的鋒芒之下，忍受委居第二的挫敗感，現在她要扭轉局面。

彩英把香水噴在佑南的臉上，第二個四騎士成為了她的俘虜，然而娜恩等人還不知道彩英暗中所做的事，香水味漸漸籠罩整個校園。但到底「處女座的香水」為何會落在彩英的手中？搶走四騎士又是否她的最終目的？

CHAPTER 5

迷惑人心

時間回到娜恩休養沒有上學的期間，雖然她和四騎士不在校園，但討論她的聲音沒有變小。

「這次的全級第一名竟不是娜恩啊……」

「她和那幾個男生常常不來上學呢。」

「下一屆學生會選舉差不多要開始準備了吧？

娜恩會不會出來競選呢？」

「如果娜恩參選的話相信會輕易當選吧，畢竟彩英也是因為沒有娜恩才被選上。」

學生之間的流言蜚語刺得彩英滿身傷痕，娜恩不在反而更凸顯出她有多受人關注。沒有人相信彩英是靠自己的努力得到第一；而事實上，娜恩為了找尋聖物的確疏忽了學業。

「一句二句也是和潘娜恩有關……」彩英本已對娜恩累積了很多怨恨，現在她更面臨崩潰。

「為什麼每一個人的眼裡也只有潘娜恩……」彩英在圖書館內著了魔似的不停抄寫著娜恩的名字。

「那些男生一定是受了什麼迷惑才圍著她團團轉……」彩英對娜恩十分嫉妒。

「是的，潘娜恩的確擁有不可思議的力量。」彩英的手機接收到來歷不明的訊息。

「是誰？」彩英緊張地環顧四週，神秘人正在默默監視著她。

「我可以幫你，你也可以擁有不可思議的力量，奪走她身邊的一切。」手機上的訊息說出了彩英心底的願望。

「你到底是誰？我不知道你在胡說什麼！」彩英害怕自己的陰暗面被人知道，被公諸於眾。

「我是誰一點也不重要，重要的是你想不想改變。」神秘人一點一點攻破彩英的防線。

「荒謬……」起初彩英沒有被迷惑，她只是需要宣洩情緒的空間。

但家人的說話，成為了壓垮彩英的最後一根

稻草。

「彩英，你要和潘家的千金打好關係才行啊！」彩英的家境不差，但相比起星辰集團還是望塵莫及，所以她的父母希望她和娜恩結成好友。

「星辰集團現在雖然落在她的伯父手上，但潘老爺生前待女兒如珠如寶，待他的女兒成年後，集團的權力一定會回到潘娜恩手上。」父母要彩英巴結娜恩，這才是令她最崩潰的地方。

「下屆學生會你不要參選了，你就去潘娜恩的助選團幫她一把吧，趁早討好她，將來一定會有莫大回報的。」父母不知道學生會會長之位是彩英最重視的東西，是她辛辛苦苦靠自己的努力才能脫穎而出。

但彩英心裡很清楚，就算父母知道這對她來

說有多麼重要，也同樣會叫她放棄，叫她讓給娜恩。

「到底她憑什麼可以輕輕鬆鬆便得到一切？為什麼她這麼幸運？我有什麼比不上她？」所以彩英做了一個決定。

「幫助我吧，我要奪走潘娜恩擁有的一切。」彩英回覆了神秘人的訊息。

「可以，但你要替我辦一件事。」世上沒有不勞而獲的東西。

「什麼也可以，就算要把靈魂賣給惡魔也沒有所謂。」彩英當然清楚自己要付出代價。

於是彩英走到神秘人提供的地點，獲得了「處女座的香水」，並了解它的使用方法，接下來就是測試。

「彩英，娜恩已好幾天沒有回校上課，你能聯絡得到她嗎？」學生會書記林維婭是彩英的第一個實驗對象。

「不要再在我面前提潘娜恩。」起初，彩英把香水噴在自己身上。

「好的，只要是彩英說的就是對的。」像維婭這種意志不夠堅定的人，嗅到輕微的香水味就會受到影響。

只要噴上更多香水，彩英甚至能同時令數以十計的人臣服於她的石榴裙下。但偶然會出現像北辰和佑南這般，需要直接把香水噴在他身上的人。

彩英迷上主宰一切的感覺，再沒有人能違抗她，所有她討厭的會被滅聲；她是最注目耀眼的人，只有她能成為話題的中心。為此彩英需要永遠持有「處女座的香水」，她約見神秘人當面見面。

「怎樣，我沒有欺騙你吧？」年輕的白髮神秘人，戴著一個帶有山羊角的面具。

「你需要我替你做什麼？」彩英問。

「潘娜恩身邊有四個守護她的人，我需要你用聖物操控住他們，事成之後香水便歸你所有。」神秘人的聲音經過變聲處理，不像是人類的聲音。

「原來你的目標是潘娜恩，但香水現在已在我手，就算我拒絕你又能怎樣？」彩英十分鎮定，向神秘人噴發香水，既然香水在手她何需向神秘人屈服。

「不要在我面前耍小聰明，香水對我是沒有功

效的。」神秘人早已預料到彩英有此一著。

「你……想對潘娜恩做什麼？」彩英不是泯滅良心的人，她只是想成為眾人的焦點，沒有加害娜恩的意思。

「這一點你不需要知道，還是你決定放棄香水的神秘力量，變回那個平平無奇、沒有人記得的李彩英？」神秘人摸清了彩英的心理，他知道彩英不會拒絕。

彩英最終抵受不住誘惑，成為了神秘人的棋子，利用聖物的力量把守護娜恩的四騎士逐一奪去。

CHAPTER 6

操控型聖物

西門學醒來之後，便趁著小息時間把露娜和露比拉到學校天台。

「我們在小時候早已認識，為什麼你們不告訴我？你們就這麼喜歡戲弄我？看著我被你們玩弄得團團轉很快樂嗎？」阿學十分氣憤，一直以來也被她們蒙在鼓裡。

「怎算好？他好像恢復記憶了。」露比輕聲在露娜耳邊問。

「恐怕是香水的氣味喚醒了他孩童時期的記憶……」露娜早已認得這陣香水味是十二聖物中「處女座的香水」。

「回答我！不要再把我敷衍過去！」阿學從未試過這麼激動，他的記憶沒有完全恢復，但那些零碎的片段指向他十分在意的事。

阿學與露娜和露比，有可能是家人；難道在這世界上，還有和他血脈相連的家人嗎？

「阿學很兇啊……」露比躲在露娜身後，她討厭這樣的阿學。

「男爵吩咐過我們，除非是你自己想起，否則我們絕對不能和你說那些你被刪除的記憶。」露娜

知道坦白的一天終會降臨，但並不是今天，因為今天她們有更重要的問題要解決。

「為什麼？他憑什麼這樣決定？」阿學繼續追問，他已很接近真相。

「這樣做是為了你好，也是為了你家大小姐著想。」露比不喜歡娜恩，也和這些回憶有關。

「為了我和小姐？我不明白……蒙面男爵和我們有什麼關係？你們和我又有什麼關係？」激動的阿學聽得一頭霧水，愈接近真相，不明白的事情卻愈來愈多。

「我們不要再糾結在這些問題上了，你家大小姐恐怕正遇到很大的麻煩……」露娜吵醒阿學的原因，是香水味變得十分濃烈，比娜恩他們不在學校時更濃烈。

「不要胡說八道，如果小姐有麻煩，大家一定會透過耳機聯絡我，還有阿爾法負責監視環境……」阿學說著發現無法聯繫娜恩等人，連接阿爾法的系統也顯示錯誤。

「不可能，有人黑入了我的系統，到底是誰有這樣的能耐？」阿學感到難以置信，他最自豪的系統不知從何時開始，已被悄悄破解了。

「小姐……小姐有危險。」西門學雖然在四騎士中年紀最小，但守護娜恩的決心絕不會比淩東等人少。

大量學生受到「處女座的香水」影響成為李彩英的俘虜，再加上北辰和佑南也不敵香水的神奇力量，保護娜恩的重任落在淩東和西門學身上。

原本彩英本打算先把阿學收服，最後才對淩東下先，但她找不到身在天台的阿學，按捺不住的她，決定改變計劃。

「佑南還未回來嗎？他已離開了一段時間了。」娜恩覺得不對勁，小息經已結束，佑南和維婭並沒有回到課室。

「辰哥？阿學？你們聽到我的說話嗎？」凌東意識到事態嚴重，四騎士本應隨時隨地也保持聯繫。

「老師，我和娜恩感到有點不適，想去保健室一趟。」凌東想找個藉口看看北辰等人到底發生了什麼事。

老師像聽不到他的說話，不但沒有回應，還繼續自顧自的在講課。

「老師？」娜恩覺得愈來愈奇怪，不只老師像沒有靈魂的傀儡，其他同學也目光呆滯。

「小姐，我們先離開班房再說吧。」凌東急忙和娜恩步出課室，他終於明白露比所說的怪異氣氛是什麼。

已知的十二聖物都擁有神奇的力量，它們之中有些是只會對使用者產生作用的「自主型」，例如「白羊座的懷錶」，它的時間追溯能力能把使用者帶回過去的位置。使用者身上的傷勢也能靠時間追溯能力而回復原狀。

聖物中亦有能憑空創造物品的「創造型」，當中「水瓶座的魔法筆」就是最好的例子，它能在有限時間內具體呈現畫出的物體，甚至賦予該物體生命。

但聖物中最難以應付的不是上述兩類，而是第三類「操控型」，能影響使用者以外的生物。例如能號令動物的「獅子座的襟針」和使聆聽者陷入恐怖幻覺的「雙魚座的魔笛」。

「淩東，彩英小姐在找你，跟我們走吧。」受彩英操控的學生已開始四出尋找淩東，「處女座的香水」正是第三類聖物「操控型」。

「小姐，那邊。」淩東立即帶領娜恩往另一邊逃跑。

「他們剛剛提到彩英，彩英一直沒有在班房出現……」娜恩的直覺十分敏銳。

「那麼李彩英很有可能和這次的事件有關，但我們的當務之急，是和其他人會合。」淩東和娜恩走到樓梯向下層進發，但卻和尋找他的人群迎頭相撞。

「找到了，帶他去找彩英小姐。」學生如同行屍走肉。

「我的小姐只有娜恩一個，滾開！」淩東身手不凡，沒有經過鍛煉的學生豈會是他的對手。

「東！他們或許只是受人唆擺，請你下手不要太重。」娜恩的仁慈，加重了凌東的負擔。

前路受阻，後方還有更多學生在迫近，幸好凌東陷入苦困之際，援兵在上層趕到。

「小姐、東哥，快上來！」阿學的書包伸延出四條機械手臂為凌東解圍，還未成為目標的他先回到班房帶齊裝備，便馬上到下層尋找娜恩。

「特製糖果！」露比扔出幾顆糖果，這些其實都是黏力極高的強力膠，使得學生們黏在一起難以行動。

「阿學，到底發生什麼事了？我們聯絡不上北辰和佑南。」娜恩還未弄清楚狀況。

「我的系統被黑客入侵了，對方很可能持有聖物，那是一種透過氣味操控他人的香水。」阿學的

夢境中出現過這樣的聖物，氣味和他現在嗅到的極度相似。

「李彩英……想抓我的學生提到了她的名字。」淩東立即戴上口罩掩住口鼻，並控制呼吸減少吸入香水的機會。

「你們知道解開操控的方法嗎？」娜恩不敢相信聖物的持有者竟然在這麼近的地方。

露娜和露比一同點頭，關於這件聖物，她們知道的比娜恩等人多，於是五人走到一間沒有人的課室，一邊躲避蜂擁而來的學生，一邊商討對策，但他們不知道受操控的佑南已在附近。

CHAPTER 7

反擊

「我不明白……彩英應該和十二聖物沒有任何關係，為什麼聖物會出現在她的手上？」娜恩感到難以置信，她的同班同學正利用十二聖物的力量傷害她身邊的人。

「那件聖物原來的持有人早已在大火中喪生，男爵尋找多年也一無所獲。」露比說。

「你們曾見過這件聖物？」淩東現在最需要的就是情報。

「不只我們，阿學也曾經見過『處女座的香水』。這聖物有一種獨特的氣味，令嗅到香水氣味的人對香水的持有人言聽計從。」露娜說。

「意志力強的人，對香水會有一定程度的抵抗力，但是被香水直接噴灑的話，任你的意志力多麼堅定也是徒然的。」露比說。

「如果有聖物在手，情況就不一樣了。你在人魚島上是因為手上有魔法筆而不受魔笛影響，這是聖物之間通用的法則。」露娜補充聖物持有者不受其他聖物影響的規則。

「受操控的人已封鎖校門，難道李彩英連我們沒有隨身攜帶聖物這件事也知道？」凌東感覺到對方有備而來，他們的一舉一動也早已被看清。

這是任北辰經過被芙蘿拉盜賊團搶劫而下的決定，他們的目的是集齊十二聖物，隨身帶備反而會增加被搶走的風險，但他忽略了「操控型」聖物的影響力，這決定反而令四騎士和娜恩陷入險境。

「要解除操控，唯一的方法就是從現在的香水持有人手裡奪取那瓶香水。」露娜和露比提供了十分重要的資訊。

「凌東，彩英小姐在找你，不要再躲藏了。」走廊傳來佑南的呼喚。

「阿學你也束手就擒吧，校內的師生已全部成為彩英小姐的僕人，你們別再浪費時間了。」北辰也和佑南同行。

「看來他們已被李彩英操控住了，繼續按兵不動我們只會全軍覆沒。」凌東拿出手槍。

「阿學，我去攔住他們，你先帶小姐離開這裡吧。」凌東決定為娜恩爭取逃跑的時間，繼續躲避只怕會引來更多受操控的學生。

「這樣太危險了！萬一連你也受操控怎麼辦？」娜恩難以忍受身邊的人一個又一個被奪走。

「不，或者這是個不容錯失的機會……」阿學靈機一觸，一直以來他甚少主動發表自己的意見，但在四騎士中他的智商才是最高。

「阿學你想到什麼了嗎？」凌東感到意外。

阿學喜歡遊戲，每一個遊戲也有自己的規則，只要洞悉隱藏在規則中的漏洞，就能找到遊戲的必勝法。

「目標是我和東哥這就好辦了，問題是李彩英到底在哪裡？我現在無法連接校內的監控鏡頭，學校的保安系統被癱瘓了……」阿學快速敲打手提電腦上的鍵盤，他欠缺通往勝利的鑰匙。

「彩英所在的地方，我想我知道會是哪裡。」而娜恩能為阿學提供這條鑰匙。

「東哥，小姐，我有辦法轉危為機，你們信任我嗎？」阿學眼神堅定的說。

一直以來四騎士也是由北辰出謀獻策，淩東和佑南作為前鋒作戰，阿學都退居在幕後支援，但現在，阿學決定站在最前線。

走廊內，槍聲突然響起，凌東向佑南和北辰發動突襲。

「終於現身了嗎？」但面對武術了得的佑南，橡膠子彈無法造成多大的傷害。

「雖然你們是受聖物的影響而變成這樣，但背叛小姐是不可饒恕的行為，讓我好好教訓你們一頓吧。」凌東以一敵二，在阿學的計劃裡，凌東能拖延多少時間十分重要 。

受操控的佑南沒有手下留情，動作甚至比往常更凌厲，平常覺得難以操控的「馭火之武」發揮得更淋漓盡致。

「別作無謂掙扎了，這只會為你帶來皮肉之苦。」躲得過佑南的拳腳，又會被北辰手上鋒利的手術刀割傷，凌東陷入史無前例的絕境。

「五分鐘，不……我儘可能為你拖延十分鐘。」作戰開始前，凌東向阿學作出承諾，他會為阿學爭取十分鐘的安全時間。

但面對佑南和北辰猛烈的進攻，十分鐘比凌東想像的要漫長和艱辛得多。

「我是不會認輸的，想打小姐的主意你們先越過我的屍骸吧！」凌東無視傷勢勇往直前，他是戰爭的孤兒，早已習慣在生死邊緣之間遊走。

「小姐，無論外面發生什麼情況，無論你聽見什麼聲音，也不要步出課室。」凌東脫下娜恩的手套，珍而重之的捉緊娜恩的手。

「你……為什麼要這樣做？這樣做會召來不幸的！」娜恩已不記得多久沒有和人有肌膚接觸，她能切切實實感受到凌東手心傳來的溫暖。

「小姐身上的不是不幸，是為我們帶來勝利的曙光。」這正是淩東的目的，在和蒙面男爵交手時，他都親眼目睹過不幸的力量。

要同時應付佑南和北辰，單靠淩東是辦不到的，但如果加上娜恩的力量，便綽綽有餘。

「不幸，要降臨了。」淩東找準機會抓住佑南和北辰，腳下開始出現裂縫。

走廊崩塌出一個大洞，淩東等人一起掉落到下層，這為西門學爭取到絕佳的時機。

「外面發生什麼事了？」轟隆巨響驚動到躲在安全地方的李彩英，她躲在校內唯一能讓她感到舒適自在的地方，等待勝利的到來。

「叩叩……」學生會會長室傳來敲門聲。

「彩英小姐，抓到一個了。」會長室外整齊排列了不少學生，他們全都成了彩英的俘虜。

「很好，這樣的話就只差一個了。」彩英滿意的笑著，看見阿學被兩人脅持著，她便放鬆了警惕。

「西門學，臣服於我吧。」彩英已在身上噴上香水。

「不，我的小姐只有娜恩一個。」但對意志力堅定的阿學來說這並不足夠。

「你們每一個在開始時也是這樣說，但有這香水在手，沒有人能違抗我的命令，你也不會例外。」彩英拿出聖物，準備親手把阿學變成她的俘虜。

「不，你的鬧劇要結束了。」阿學展露微笑，脅持他的露娜和露比立即行動，反把彩英制服。

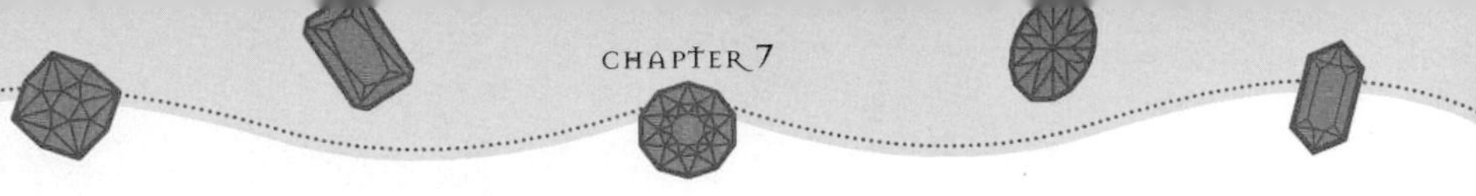

阿學成功奪去彩英手上的香水，「處女座的香水」導致的危機終於被解除，但阿學算漏了一著，在暗中指使彩英的神秘人已採取行動。

CHAPTER 8

山羊座研究所

「我們為什麼會在這裡？我本來在做什麼？」

香水持有人轉變了，原本操控學生們的力量便會被解除，而且大家對這段時間所做的事也沒有記憶。

「很痛！剛才發生了地震嗎？」佑南蘇醒後發現自己被埋在瓦礫中。

「上一刻我還在保健室，我見到李彩英她拿著聖物。」北辰說。

「經已結束了，是阿學成功拯救了大家……」凌東傷痕累累，幸好阿學沒有令他失望。

「你被修理得很慘呢，是有強敵出現嗎？」佑南扶起凌東，同時不望嘲諷他幾句。

「你這傢伙在被操蹤的時候比平時強悍得多，應該叫小姐長期用香水對你進行洗腦。」這次凌東吃了不少苦頭。

「對了，阿學呢？他和小姐在一起嗎？」北辰四處張望也不見娜恩的蹤影。

「小姐在上一層，我們先和小姐會合吧。」其

實淩東覺得受這些苦也是值得的，他手心還殘留著剛才的觸感。

阿學的計劃要成功，除了需要淩東攔住最難對付的佑南和北辰外，還取決於兩個重要因素：李彩英的藏身地點，還有受操控的人的行為模式。

娜恩很清楚對彩英來説最安全、最有歸屬感的地方，是學生會會長室。彩英為學生會作出的付出娜恩一直看到，而她的推斷也是正確的。

另一個重要因素，是受操控的學生和沒有受操控的學生，除了前者對彩英言聽計從外，便沒有分別。那麼彩英也不會知道脅持他的露娜和露比，有沒有受香水影響，只要她看到被制服的西門學，自然不會起疑心。

這是受露娜和露比在昨晚遊戲時的詐騙行為

所啟發，就像做了手腳的骰子用肉眼觀察是沒有分別的。

「你是怎樣得到這香水的？不從實招來的話，便不要怪我以其人之道，還治其人之身。」現在香水在阿學手上，他能令彩英成為他的俘虜。

「是一個和你年紀相若、滿頭白髮，並戴著奇怪面具的人給我的……他說只要我控制了守護潘娜恩的四騎士後，我就能永遠擁有這香水。」彩英輸得一敗塗地。

「就算能令千萬人圍在你身邊又有何用？沒有一個人是真心的，只不過是披著人皮的傀儡。」露娜不屑於與虛偽的人為伍。

「不，我能夠理解……」製造機械人來做自己的朋友，阿學的行為原則上和彩英很相似。

「你們圍繞在潘娜恩身邊又是真心嗎？你們也不過是被迷惑了吧？是因為金錢？還是因為美色？」彩英看似憤世嫉俗，其實她不過是太過孤獨。

「不，我是真的喜歡在娜恩小姐身邊，雖然我說不出具體的原因，但我們四人也是對她真心真意。」阿學誠懇地說，他不討厭彩英，也相信娜恩不討厭彩英。

「香水已不在我手上，我已徹底失敗了，無論是報復還是要追究責任，悉隨尊便吧。」彩英很羨慕娜恩有四個這麼真誠的守護者，如果她的身邊有一個這樣的人，或者她不會被迷惑因而鑄成大錯。

「我還有一個問題，黑入我的通訊系統，令學校監控系統癱瘓的人真的是你嗎？」阿學不覺得彩英有這樣的能耐。

「我沒有做過這種事，應該是那個戴著奇怪面具的神秘人吧……他之前也是利用學校的監控鏡頭偷偷監視我的一舉一動。」彩英說。

「通訊設備和阿爾法失靈的元兇不是你，那人一直在背後掌控大局……他想要的不是我們！小姐才是他的真正目標！」阿學終於發現他忽略了的細節。

「慢著……你剛才說的白髮男生，他所戴著的面具有什麼特別之處？」阿學戰戰兢兢地問。

「它有一對山羊角，給人一種可怕的感覺。」在西方文化中，山羊很多時也被當成惡魔的象徵，代表著暴力和慾望。

「山羊角、白髮、而且年紀和我相若……」阿學感到頭痛欲裂，他對這樣的面具和這樣的男生有印象。

然而當務之急是確保娜恩安全，當阿學回到原本娜恩躲藏的地方時，只見淩東等人臉上黯然無光，因為娜恩經已不知所終。

「是我的錯……如果我再思考多點可能性，如果我再謹慎一點……」阿學無力的跪倒地上。

「你已經做得很好了，若不是你的話，我們經已全軍覆沒。」佑南上前安慰，對方不只準備充足，對他們的舉動也瞭如指掌。

「對，我們還有機會，對方不惜放棄一件聖物來布局，他想得到的不是聖物，相信是小姐身上那不幸的力量。」北辰說。

「在黑星大酒店時，盧卡也明顯對小姐的力量虎視眈眈，他還叫小姐做潘朵拉，這到底是什麼意思？」淩東心急如焚，但娜恩被捉到哪裡他們毫無頭緒。

「在希臘神話中，潘朵拉是火神赫菲斯托斯用黏土做成的女人，是送給人類作為對普羅米修斯盜火的懲罰。」北辰對神話故事略有所聞。

「為什麼這是懲罰？」佑南不明所以。

「因為她打開一個魔盒，釋放出人世間的所有邪惡——貪婪、虛偽、誹謗、嫉妒、痛苦……並在『希望』還未放出來前關上了魔盒，導致人類受盡折磨。」北辰說。

「這些都不過是神話故事，又怎能和小組相提並論。」淩東不相信鬼神之說。

「我們不是親眼目睹，親身感受到很多無法解釋的事了嗎？」北辰反問凌東。

就在四騎士爭論不休之際，阿學的手機收到一則訊息和一幅照片。

「來找我吧，就你、露娜和露比。若你不聽我說話去做，我便立刻殺死潘娜恩。」發訊息的人附上了娜恩被機械人阿爾法抓住的照片。

「為什麼是我們三個？小姐被帶去什麼地方？」阿學慌張的望向露娜和露比，她們一副有著難言之隱的表情。

「咈咈！」四騎士的專屬座駕在校門外響號，它和阿爾法也落入神秘人的操控之中。

「我想他不是真的想傷害你們家小姐的，阿學，照他意思去做吧。」露娜和露比知道神秘人的

身份不明者

2月22日週四

來找我吧，就你、露娜和露比
若你不聽我說話去做
我便立刻殺死潘娜恩

16:10

訊息

真正身份，也知道無人駕駛汽車將會帶他們到哪裡去。

因為他們將要回到自己的出生地點——山羊座研究所。

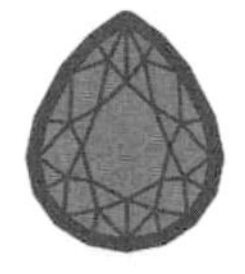

CHAPTER 9

實驗兒童

無人駕駛汽車載著阿學、露娜和露比前往神秘人的所在位置，淩東等人只能把希望寄予在他們身上。抓住娜恩的神秘人神通廣大，他們的一舉一動也被監視著，如果違背神秘人的意思，很有可能會危及娜恩的性命。

「捉走小姐的人，是小時候和我們一起待在研究所的男孩吧。」得知戴著山羊面具的人是背後主謀後，阿學回憶起更多往事。

山羊座研究所，一個坐落於深山密林中的隱蔽實驗基地，是西門博士夫婦為一項秘密實驗而設的。

「嗯。」露娜不想回應太多，事態發展超出了她的預期。

「那人是我的兄弟嗎？你們又是我的姐妹嗎？」但阿學仍然充滿疑問。

「快到目的地了，你很快便會得到你想要的答案。」若情況許可，露比也不想重遊舊地。

山羊座研究所經歷嚴重火災後便停止運作，西門夫婦也在這場火災中不幸喪生，但這並不是意外，而是人為的報復行為。

飽歷風霜的陳舊鐵閘自動打開，無人駕駛汽車到達了目的地，火災過後研究所沒有經過修葺，

外牆焦黑足見當日的災情多麼嚴重。

「歡迎回家，露娜、露比，還有阿學。」穿著實驗室白袍的兩個人偶發出機械般的聲音。

「爸爸……媽媽……」露娜和露比感到不寒而慄，兩個人偶戴著和她們已故父母髮型相似的假髮，臉部和軀體多處有被故意破壞的痕跡。

「不過是機械傀儡罷了，這惡趣味實在令人嘔心。」創造者刻意製作和人類相似的機械人，並且惡意破壞，目的是用來宣洩憤怒。阿學能看出此人活在仇恨之中，這恨意多年也沒有減退。

阿學無視機械人偶，本應嚴重損毀的研究所內部竟完好無缺，光潔如新。

「阿學，等等我們嘛……」露比和露娜追上阿學，這裡的氣氛比剛才學校的更加詭異。

「全息投影技術……這個人的科技知識比我有過之而無不及，難怪我親手所寫的系統和阿爾法也被他破解利用。」阿學甘拜下風，全息投影不只重現了研究所當年的樣貌，還重現了當日在這裡生活的人和事。

三人一步一步走向研究所深處，左右兩邊的房間也在放映他們過去的生活片段，像是怕他們忘記了這裡有多恐怖，怕他們不痛恨殘忍的加害者。

「零號，來解答這條方程式吧。」白髮的小男孩和阿學的樣貌十分相似，只不過頭髮更長，目光更銳利。

「你的潛能一定不止於此，戴上聖物吧，它可以釋放你的潛能。」小男孩被迫戴上「山羊座的面具」，就算小男孩狀甚痛苦，西門夫婦也沒有停止。

沒有人能違抗西門夫婦，因為他們手上有「處女座的香水」，痛苦一直在孩子身上循環，直至他們沒有利用價值。

「一號和二號的進展並不理想，看來只能把希望放在三號身上了。」露娜和露比也受到同樣的折磨，她們和小男孩被關在相同的房間。

「零號不行了，一號和二號也沒有實驗價值，三號是我們最後的希望了。」阿學是最後一個實驗品，他展現出最大的潛能。

西門夫婦強迫孩子解答同一條方程式，無法解答便要戴著「山羊座的面具」，這件聖物能釋放人類大腦的潛能。人類一般只發揮了大腦百分之十的機能，若能開發出餘下的百分之九十，人類文明到底會進步多少，一直是科學家在研究的事。

以聖物培養出高智商的天才，是山羊座研究所一直在進行的非法人體實驗。

回憶的盡頭，是一片火海。被喚作零號的小男孩智慧其實早已超過西門夫婦的預期，他不只釋放了其餘三個孩子，還把研究所燒得一乾二淨，讓他們得到真正的自由。

「哥哥。」全息投影放映結束了，阿學亦已記起發生在這裡的一切。

「從生物學的角度，我們的確算是兄弟姊妹，但說到底，我們不過是為研究而製造的實驗品。」站在研究所中央的零號戴著「山羊座的面具」，機械人阿爾法束縛住娜恩。

「零號，不……應該叫阿爾法才對。」露娜叫出了屬於神秘人真正的名字。

阿學把自己製作的人工智能機械人取名為阿爾法，是他的潛意識想要一個哥哥的替代品。

「我把香水還給你，你想要其他聖物我也可以給你，請你放過小姐吧。」得知世上存在血脈相連的親人，本來是值得高興的事，但阿爾法卻是娜恩的敵人。

「所以我一直覺得你不聰明，我對十二聖物根本沒有興趣。」阿爾法有能力破解阿學的保安系統，他早已可以潛入大宅偷走聖物。

「那你到底想要什麼？為什麼要捉潘娜恩？為什麼要我們來這鬼地方？」露比不知道阿爾法到底在盤算什麼。

「過去的腦開發實驗已害我患上不治之症，本來我打算寂寂無聞地慢慢死去，直至我在地下社會看到你們的消息……」過度的腦部發展導致他的腦部提早退化，阿爾法餘下的壽命已不多。

「我賭上性命摧毀這研究所，讓你們得到自由，你們卻主動去當她的奴隸！不可以……我不接受我的家人再被她利用！」阿爾法除下了「山羊座的面具」，他的臉上有當年火災燒傷的疤痕。

為了不讓弟弟妹妹戴上面具，阿爾法拼盡全力去滿足西門夫婦的要求，在這充滿苦痛的監獄中，他們有著真摯的手足之情。

「我要在你們面前，殺死這可恨的潘朵拉。」阿爾法拿出利刀。

「潘朵拉？為什麼他和盧卡一樣提到這名

字？」娜恩十分在意，兩個和聖物有關的人也以這名字稱呼了她。

「我不明白……這裡和小姐有什麼關係？」阿學是心甘情願保護娜恩的。

「博士為了令我們變得更聰明，迫使我們長時間戴著這面具，而要我們變得聰明的原因，是為了完成那條無人能解答的方程式。」阿爾法等人在白色房間嘗試過一次又一次，最終也是失敗告終。

「你們不知道那條方程式是用來幹什麼吧？」逃離研究院多年後，阿爾法終於知道方程式的真正用途。

「那是一條能量轉換程式，博士試圖轉移聖物的力量到人體；但他們想要的不止於此。」阿爾法找到了研究背後隱藏的真相。

「他們想……」可惜阿爾法沒有機會把想說的話說完。

「呯！」子彈貫穿了阿爾法的頭顱，狙擊手在數百米外射出致命的一槍。

「哥哥！」阿學找回了家人，同時也失去了家人。

小時候四人被關在同一個房間，他們只能玩著簡單的遊戲取樂，露娜和露比每次也是贏家，但阿學總不會是最後的輸家，因為哥哥永遠讓著弟弟。

CHAPTER 10

決心

雖然得到了「處女座的香水」和「山羊座的面具」兩件聖物，但娜恩和四騎士實在無法高興起來，阿爾法在娜恩面前被槍殺，這是自收集十二聖物以來，第一次近距離接觸到死亡。

爭奪十二聖物的人，是不惜奪去他人性命的。

而且這次事件還牽連到學校的師生，娜恩對害無辜的人受罪十分自責，她終於意識到事態的嚴重性。

只要娜恩在那裡出現，那裡便不再是安全的地方。

「阿學，一起吃飯吧。」身為四騎士中最年長的大哥哥，北辰最擔心的是阿學。

自從山羊座研究所回來後，阿學便把自己關起來，整整三天也沒有踏出房間。娜恩把在研究所發生的事告訴了大家，雖然還未查明殺死阿爾法的兇手是誰，但毫無疑問是他救了娜恩一命。

這晚飯廳變得十分冷清，阿學閉門不出，露娜和露比亦已離開，就連淩東也不在席上。

「現在我們手上已收集到六件聖物，佔了十二聖物的一半，接下來的難題，是如何保管聖物。我們的身份在地下社會已曝光了，想搶奪聖物的人還會接踵而來。」阿爾法只是個開始，北辰等人現在四面楚歌。

「在這種時候，淩東他還跑到哪裡去了？」佑南感覺這頓晚餐食之無味。

「我也不清楚，他神色凝重的對我說有一件重要事情要親自確認。」北辰說。

「潘朵拉……盧卡和阿爾法也先後提過這名字，到底她和我有什麼關係？」娜恩十分在意，她不相信這是偶然巧合。

「這件事就交給我調查吧，我會向星婆婆打聽一下。」地下社會的事情，當然是情報販子最清楚。

同一時間，淩東走到山羊座研究所附近一帶細心搜查，能從研究所外這般遙遠的距離下，以狙擊槍準確擊殺目標的人少之又少，就連淩東也沒有信心做到。

「應該在這附近了。」淩東代入狙擊手的角色，尋找他進行狙擊的位置。

但淩東認識一個能百發百中的神槍手。

「難道……真的是隊長嗎？」淩東拾起地上的子彈殼，和他養父酷愛使用的是相同的款式。

淩東沈思默想，他的養父也是考古團的成員之一，銷聲匿跡的他現在為何會出現在娜恩附近？殺死阿爾法的人和殺死任璉娜的又是否同一個人？如果要和養父兵戎相見，他又能否戰勝教

導他一切的恩師？

古宅地下室內，任北辰看著牆上考古團的大合照沉默良久。

「殺害璉娜的人就在大合照中……」北辰是為手刃仇人而代替任璉娜守護娜恩的。

「到底誰才是真正的兇手？」他相信殺害任璉娜和阿爾法的人，同時是殺害娜恩父母的兇手。

「目標是十二聖物，考古團隊的成員之間……很可能發生了內訌。」十二聖物的力量足以帶來難以估算的利益，北辰估計這是內訌的主要原因。

凌東的養父和況佑南的父親下落不明，西門

學的父母在研究所意外喪生，大合照中還有兩人身份未明。

「如果真兇是他們的親人……我真的能夠狠下殺手嗎？」北辰看著自己抖顫的手，他與淩東和佑南已建立深厚感情。

另一邊廂，娜恩站在西門學的房門外躊躇良久，好不容易才下定決心敲響房門。十二聖物正在把死亡帶到娜恩和四騎士身邊，她不想害年輕而且才華洋溢的阿學，步上阿爾法的後塵。

「大功告成！」阿學的歡呼聲嚇了門外的娜恩一跳，娜恩開門探頭一看，才發現原來阿學沒有被喪兄之痛的悲傷打垮，也沒有被擦身而過的死亡嚇怕。

「系統全面升級，這樣就不用擔心案件重

演。」阿學解決了程式漏洞，加強了保安系統。

「阿學……」娜恩很意外，她以為阿學會一蹶不振。

「小姐！你何時進來的？」阿學專注起來可以連續數天不吃不喝。

「阿學，我有話想認真和你說。」娜恩天生受到可怕的不幸力量所困。

「如果你想離開，隨時可以離開。你不用因為我父親的委託而勉強自己，你是自由的。」但她覺得自己很幸運。

「小姐，我是不會離開你的。至少在集齊所有聖物，解除你身上的不幸前，絕對不會離開。」因為娜恩知道他的騎士是真心真意的勇者，而不是奉命行事的傀儡。

「而且我還要找出殺害我哥哥的兇手，我相信繼續尋找聖物，他一定會再次出現在我們面前。」山羊座研究所是研究聖物的地方，由西門夫婦建立，但知道這地方的人理應就只有考古團的成員。

娜恩的父母、任璉娜和阿爾法，殺害他們的到底是不是考古團的其他成員？而殺人動機是不是只為了聖物的力量？真相遠比娜恩所想的更複雜，更令她絕望。

下期預告
ISSUE 6
雙子座的魔鏡
與
天蠍座的鑰匙
娜恩經歷連番襲擊的期間，
蒙面男爵遠赴海外尋找另一件聖物的下落，
在「黑歷史圖書館」中，
他將找到潘朵拉傳說的真相。
娜恩和四騎士坐擁半數聖物，
自然成為爭奪聖物的人的首要目標，
來自世界各地的競爭者蜂擁而至，
他們的堡壘不再安全。
2024年秋季出版

童話夢工場

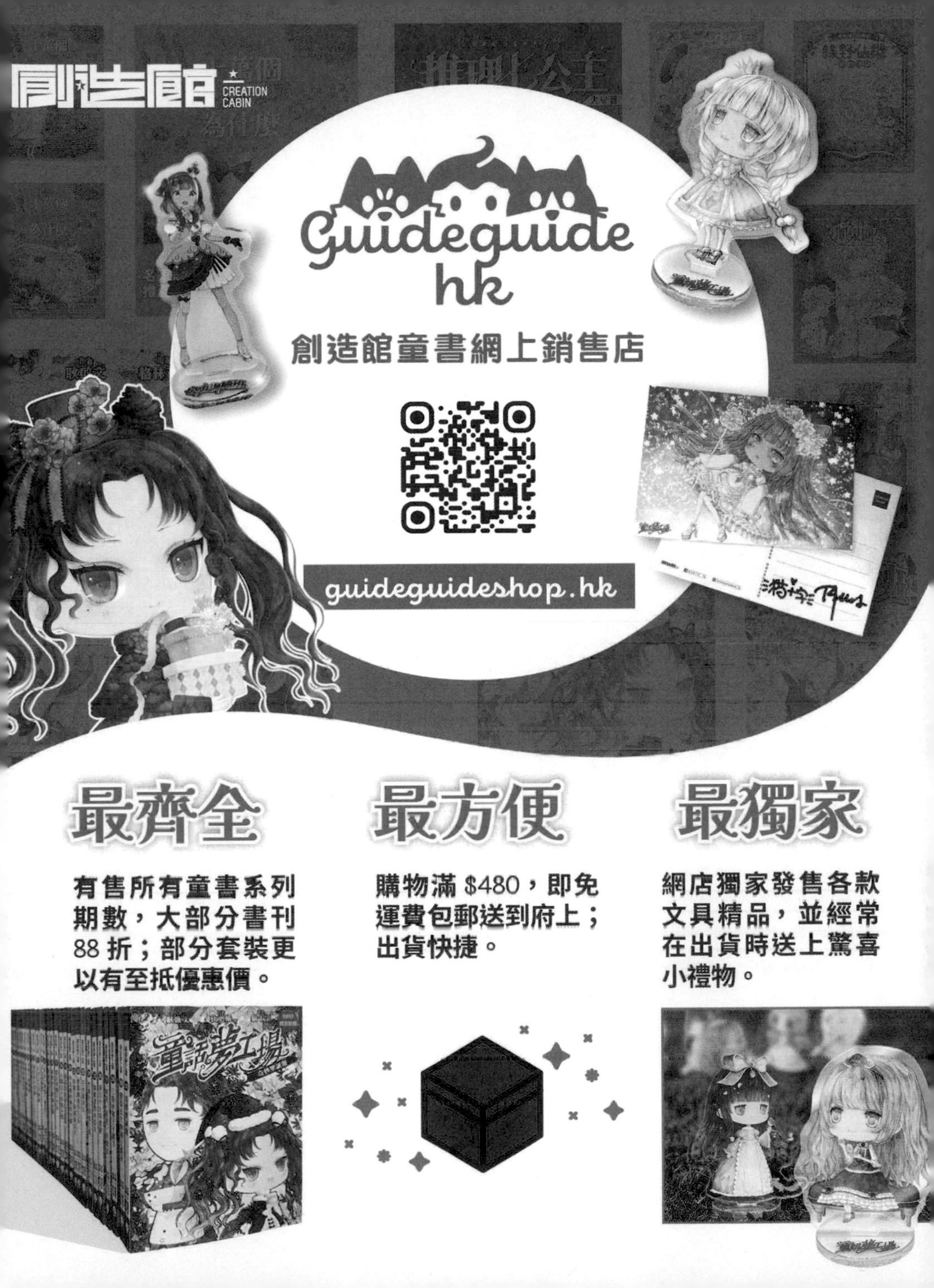

期待度最高的
第二季！

再度攜手寫下
大學篇精采故事～♥

原 班 創 作 人 馬

作者　插畫

卡特×魂魂SOUL

載譽歸來！

消息一出——

Hazel Ng　OMG! YES!

Lam Keira　最愛小綾！！！啊啊啊啊啊啊
期待了很久終於出第二季！！！

Winy Cheung　好期待呀！

Karine　恭喜出第二季！YEAH！

Keaixianonaliao　紫語短髮新造型好好睇！

念念不忘　必有迴響

—— 2024年7月書展 ——

七 個 美 少 女 再 度 登 場

創造館首本

巫夢妮
對塔羅占卜、紫微斗數、星座運程等占星學說和心理學有濃厚興趣。
陳超賢
鍾情熱衷於UFO、外星人等超自然現象，常常被同齡的人當成怪胎。
不准尖叫學會

全新創作組合

魔幻小說作家 陳四月 × IG 10萬followers 插畫家 Nagi